Un o lytrau
Anni'r Wrach

GWRACH
mewn Strach

Marian Broderick
addas. Eleri Huws

Lluniau gan Francesca Carabelli

Argraffiad cyntaf: 2016

ⓗ Addasiad Cymraeg: Eleri Huws 2016

Rhif rhyngwladol: 978-1-84527-581-5

Teitl gwreiddiol: *A Witch in a Fix*

Cyhoeddwyd yn wreiddiol yn Saesneg yn 2008
gan The O'Brien Press Ltd, 12 Terenure Road East,
Rathgar, Dublin 6, Ireland.

Cyhoeddwyd gyda chymorth ariannol
Cyngor Llyfrau Cymru

ⓗ Testun gwreiddiol: Marian Broderick, 2008.

ⓗ Lluniau: Francesca Carabelli, 2008.

Cyhoeddwyd yn Gymraeg gan Wasg Carreg Gwalch,
12 Iard yr Orsaf, Llanrwst, Conwy, LL26 0EH.
Ffôn: 01492 642031 Ffacs: 01492 641502
e-bost: llyfrau@carreg-gwalch.com
lle ar y we: www.carreg-gwalch.com

Argraffwyd a chyhoeddwyd yng Nghymru

CYNNWYS

1. MRS CLATSH

Mae athrawon Ysgol Pant-y-pwca yn cŵl.
Dwi'n arbennig o hoff o Mrs Meredydd, y
pennaeth, ond mae gen i reswm arbennig dros
ddweud hynny, fel y gwelwch yn y man.

Yr unig un sy'n achosi problem i mi yw Mrs
Clatsh, yr athrawes gwyddoniaeth. A dweud y
gwir, mae hi'n fwy na phroblem. Dwi'n credu
ei bod hi'n fy nghasáu i. A dydw innau ddim
yn rhy hoff ohoni hi, chwaith.

Nid fi yw'r unig un sy'n teimlo fel hyn,
cofiwch. Nage wir. Mrs Clatsh yw'r athrawes
fwyaf cas yn yr ysgol i gyd – ac mae ar *bawb* ei
hofn hi!

Mae ei gwallt hi'n hir ac yn seimllyd, fel
cynffonnau llygod mawr, a'i thrwyn yn fain a
phigog. Ac i goroni'r cyfan, mae ganddi hi
fwstás du, blêr!

Trueni nad y'n ni'n dod 'mlaen, gan fod Mrs
Meredydd yn awyddus i mi fod yn dda mewn

gwyddoniaeth. Ac mae hynny oherwydd ei bod hi'n gwybod rhywbeth arbennig iawn amdana i.

Mae Mrs Meredydd yn gwybod mod i, Anni Gwyn, yn wrach. Ac yn ogystal â bod yn bennaeth yr ysgol, mae *hithau* hefyd yn wrach!

Dim ond prentis ifanc ydw i, wrth gwrs. Ond mae Mrs Meredydd yn brofiadol iawn, ac yn fy nysgu i sut i fod yn wrach dda.

Mae *hi*'n dweud y dylai gwyddoniaeth fod yn un o 'mhynciau gorau yn yr ysgol. Mewn gwirionedd, mae hi'n credu na alla i fod yn wrach go iawn heb ddysgu popeth am blanhigion, bioleg a byd natur.

Ond mae gen i broblem fawr. I mi, mae gwyddoniaeth yn ddiflas . . . yn ddiflas *iawn*. Dwi'n casáu gwneud arbrofion allan o lyfr – fel profi i weld a ydy planhigion yn chwysu ai peidio, a p'un ai darn o arian neu gorcyn yw'r trymaf mewn dŵr.

Mae'n well o lawer gen i wneud arbrofion a swynion *hud* – rhai sy'n dod allan o 'mhen a 'mhastwn fy hun. A'r math o swyn dwi'n ei hoffi fwyaf yw 'newid siâp'.

Dyna i chi hwyl yw hynny! Does dim angen

llyfrau diflas nac offer labordy. Yr unig beth sy raid i chi ei wneud yw pwyntio at rywbeth, canolbwyntio ac adrodd rhigwm hud. Yna, yn sydyn, mae'r hyn rydych chi'n pwyntio ato'n troi yn anifail, neu lysieuyn, neu beth bynnag ry'ch chi'n ei ddymuno!

★   ★   ★

Dyna lle ro'n i, felly, bnawn Llun diwethaf yn eistedd gyda Mari, fy ffrind gorau, yn y labordy gwyddoniaeth. Fel arfer, ro'n i'n syllu drwy'r ffenest.

Ro'n i'n breuddwydio am hedfan yn bell, bell i ffwrdd pan, yn sydyn, torrodd sgrech arswydus ar draws fy meddyliau.

'Anni Gwyn! Dere yma – ar unwaith!'

Codais fy mhen a gweld llygaid bach du Mrs Clatsh yn syllu arna i.

'Mae hi ar ben arnat ti!' sibrydodd Mari.

'Diolch,' atebais yn goeglyd.

Safai Mrs Clatsh o flaen y dosbarth, ei gwefusau tenau'n cyrlio mewn atgasedd. Gafaelai mewn darn o bapur brwnt, gan ei

chwifio o gwmpas fel petai'n hen glwtyn. Anadlais yn ddwfn, a gorfodi fy hun i gerdded tuag at ei desg.

'A beth,' rhuodd, a'i mwstás yn crynu, 'wyt ti'n galw hyn?'

'Ym . . . fy ngwaith cartref,' mentrais.

'Paid â bod mor ddigywilydd!' atebodd hithau. 'Rhaid i ti aros i mewn ar ôl yr ysgol heddiw fel cosb.'

'Ond Miss!' ebychais. 'Hwnna *yw* fy ngwaith cartref i. Nid arna i mae'r bai fod Grwndi'r gath wedi'i ddefnyddio fel plât cinio pan o'n i mas o'r stafell!'

Pwyntiais at y sgwigls anniben ar y papur. Arbrawf arall oedd e i fod, yn dangos effaith finegr ar blisgyn wy. Doedd o ddim yn dda iawn – ro'n i'n sylweddoli hynny – ond ro'n i wedi gwneud fy ngorau.

'Anni Gwyn,' meddai Mrs Clatsh. 'Arbrawf syml oedd e i fod, nid ffrwydrad mewn ffatri bwyd cath! Rhaid i ti ei sgrifennu allan eto ar ôl yr ysgol – ddwy waith! Nawr dos 'nôl i dy sedd.'

Llusgais fy nhraed yn ôl at fy nesg. Doedd e ddim yn deg! Roedd hi wastad yn pigo arna i – ac ro'n i wedi cael llond bol! Gwasgodd Mari fy mraich ac edrych arna i'n llawn cydymdeimlad. O'r diwedd, canodd y gloch ar ddiwedd y wers a neidiodd pawb o'u seddau.

'Neb i symud!' gwaeddodd Mrs Clatsh, a rhewodd pawb yn eu hunfan. 'Mari Morus, rhaid i ti aros ar ôl am grechwenu ar Anni Gwyn. Pawb arall – mas â chi, yn dawel a threfnus.'

Roedd Mari druan mewn sioc. 'Ond . . . do'n i ddim yn crechwenu, Miss,' mentrodd.

'Reit – rhaid i ti aros i mewn ddwywaith am ateb yn ôl!' gwaeddodd Mrs Clatsh. 'Dos i weld Mrs Meredydd ar unwaith, a dweud wrthi mai fi anfonodd di.'

Druan o Mari – roedd ei bochau'n goch a'i llygaid yn llawn dagrau wrth iddi gerdded yn ddistaw o'r stafell. Roedd hi wedi cael ei dewis i gymryd rhan mewn cystadleuaeth yn y gampfa yn nes ymlaen, ond nawr byddai'n colli'i chyfle. Bai Mrs Clatsh, a'i gwallt seimllyd a'i thrwyn main, oedd y cyfan.

A dyna'i diwedd hi! Dyna wnaeth i 'ngwaed i ferwi. Dwi ddim yn falch o'r hyn wnes i, ond y funud honno ro'n i'n benderfynol o ddysgu gwers i Mrs Clatsh!

2. DYSGU GWERS

Arhosais nes bod y plentyn olaf wedi gadael y stafell ddosbarth. Doedd neb ond Mrs Clatsh a fi ar ôl. Eisteddodd yn drwm yn ei chadair a thynnu cylchgrawn o'i bag.

'Miss,' dywedais, gan godi fy llaw, 'ga i nôl fy ngwaith cartref oddi ar eich desg, os gwelwch yn dda?'

'Rhy dwp i gofio beth sy ynddo fe, ife?' atebodd Mrs Clatsh. 'Iawn 'te, ond paid â meiddio tynnu fy sylw eto – a phaid â dweud *gair* wrth dy ffrind pan ddaw hi'n ôl. Gobeithio bod Mrs Meredydd wedi delio'n llym â hi!'

Caeais fy ngheg yn dynn, rhoi pensil yn fy mhoced, a sleifio tuag at ddesg Mrs Clatsh. Codais fy ngwaith cartref brwnt, drewllyd, oddi ar y pentwr – a'i ollwng ar lawr ar bwrpas.

'Twt lol!' ebychodd Mrs Clatsh. Syllodd arna i â'i llygaid bach du, cyn troi'n ôl at ei chylchgrawn.

Plygais i lawr i wneud iddi feddwl mod i'n

codi fy ngwaith cartref – ond, mewn
gwirionedd, ro'n i'n brysur yn tynnu llun seren
hud ar y llawr â'r bensil!

Ar ôl gorffen, codais ar fy nhraed a sefyll y
tu mewn i'r seren. Anadlais yn ddwfn . . . ac
aros. Syllodd Mrs Clatsh yn gas arna i, a'i
mwstás yn crynu.

'Anni Gwyn!' rhuodd. 'Beth yn y byd wyt ti'n ei wneud? Dos 'nôl i dy sedd ar unwaith!'

'Fe *af* i 'nôl, Miss,' atebais yn bowld, 'ond nid cyn i chi addo gadael i Mari fynd i'r gampfa yn lle aros i mewn . . . ac ymddiheuro am wneud iddi hi lefain.'

'*Ymddiheuro*?!' poerodd. 'Dweud "sori" wrth blentyn? *Fi*? Wyt ti o dy go', Anni Gwyn?'

Sefais yn dalsyth o'i blaen. 'Doedd yr hyn wnaethoch chi ddim yn deg, Mrs Clatsh,' dywedais. 'A dwi'n rhoi *un* cyfle olaf i chi wneud popeth yn iawn.'

'Rwyt *ti*'n rhoi un cyfle olaf i *mi*? Rhag dy gywilydd di, ferch! Does neb erioed wedi meiddio siarad fel yna gyda fi o'r blaen!' llefodd Mrs Clatsh gan neidio o'i chadair a gafael mewn pren mesur.

O na! meddyliais. *Mae hi'n mynd i 'mwrw i!*

'Rwyt ti'n haeddu cael dy gosbi, ferch! Welais i erioed y fath beth yn fy myw!' gwaeddodd gan godi'r pren mesur yn fygythiol.

Mae hyn yn mynd yn rhy bell, meddyliais. *Does gan neb hawl i fwrw plentyn!*

Doedd gen i ddim dewis. Cynllun B amdani,

felly. Plannais fy nwy droed i mewn yn y seren, pwyntio at Mrs Clatsh, ac adrodd y rhigwm cyntaf ddaeth i'm meddwl i:

'Mrs Clatsh, hen fenyw gas –
Dos oddi wrtha i ar ras.
Tyfa gynffon ll'goden fawr
A dechrau cropian ar y llawr!'

Ar amrantiad, teimlais bŵer yr hud yn codi o'r llawr drwy fy nhraed. Saethodd drwy fy nghoesau, i mewn i 'nghorff, ac allan drwy'r bys oedd yn pwyntio at Mrs Clatsh. Fflachiodd golau glas o 'nghwmpas nes bron â 'nallu.

O'r diwedd, cliriodd y mwg ac edrychais ar y gadair lle bu Mrs Clatsh yn eistedd. Yno, yn ei lle, roedd rhywbeth brown, hyll – LLYGODEN FAWR!

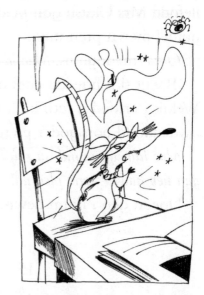

3. WAA! LLYGODEN FAWR!

Roedd y llygoden fawr – Mrs Clatsh – yn gwingo ar y sedd, a minnau'n neidio lan a lawr yn chwerthin fel ffŵl. *Dyma beth yw gwyddoniaeth go iawn,* meddyliais. *Mae'n gan mil gwell na rhyw hen arbrofion diflas mewn llyfr!*

Yn sydyn, clywais sŵn traed yn dod ar hyd y coridor. A dyna pryd y sylweddolais mod i wedi gwneud rhywbeth braidd yn dwp. Beth yn y byd o'n i'n mynd i'w wneud nawr?

Roedd y sŵn traed yn dod yn nes ac yn nes. *Mari sy 'na, siŵr o fod,* meddyliais, *ar ei ffordd 'nôl o swyddfa Mrs Meredydd.*

Cofiwch, er mai Mari yw fy ffrind gorau i, does ganddi ddim syniad mod i'n wrach. Dwi wastad wedi cadw'r ddau fyd ar wahân – Anni'r ferch ysgol, ac Anni'r wrach. Wedi'r cwbl, does neb yn hoffi bod yn *wahanol,* yn nac oes?

Petawn i'n gadael Mari i mewn i'r stafell, byddai'n siŵr o ofyn ble roedd Mrs Clatsh –

yna byddai'n gweld y llygoden fawr, ac yn llewygu neu rywbeth . . .

Edrychais ar Mrs Clatsh – roedd hi'n gwneud sŵn clecian â'i dannedd bach miniog, ac yn tapio'i phawennau. Syllai arnaf â'i llygaid du, disglair.

Neidiais yn ôl i mewn i'r seren hud ar lawr, pwyntio ati, ac adrodd:

'Colla'r gynffon, ffwr a thrwyn –
Tro'n ôl yn fenyw heb 'run gŵyn!'

Ond ddigwyddodd dim byd . . . heblaw fod Mrs Clatsh wedi dechrau gwichian a chlecian ei dannedd hyd yn oed yn uwch. *Bydd raid i mi feddwl am gynllun arall . . . ar frys*, meddyliais. Rhuthrais at y drws a cheisio rhwystro Mari rhag dod i mewn.

'Mari!' dywedais, gan osod fy mraich ar draws y drws. 'Dwi *mor* falch o dy weld di eto!'

'Dywedodd Mrs Meredydd fod yn rhaid i mi wrando ar Mrs Clatsh,' meddai Mari'n drist. Edrychodd arna i, ei llygaid yn goch. 'Man a man i ni fwrw ati, sbo, neu fe fyddwn ni mewn mwy fyth o helynt.'

'Mae gen i
newyddion da i ti!'
dywedais. 'Mae Mrs
Clatsh wedi newid
ei meddwl!'

'Beth?!' llefodd
Mari. 'Wyt ti'n
siŵr?'

'Berffaith siŵr,'
atebais. 'Mae hi'n
rhy brysur, mae'n
debyg.'

'Dyw hi byth fel
arfer yn colli cyfle i gosbi rhywun!' meddai
Mari'n anghrediniol.

'Ar ôl i ti adael, dechreuodd barablu 'mlaen . . .
ac yn y diwedd dywedodd fod raid i ni'n dwy
fynd adre. Nawr. Ar unwaith.'

Er mawr syndod i mi, roedd y celwyddau'n
llifo'n rhwydd allan o 'ngheg.

'Ydy hi'n dal i mewn yna?' holodd Mari,
gan geisio cael cipolwg dros fy ysgwydd.

'Ddim yn union,' dywedais. 'Roedd ganddi

apwyntiad pwysig gyda'r . . . ym . . . milfeddyg, ac aeth mas ar frys. Dere, dywedodd wrthon ni am beidio â loetran.'

'Waw! Grêt!' gwaeddodd Mari, gan wenu fel giât. 'Gad i mi nôl fy mag.'

'Na, na, fe gei di fe fory,' dywedais gan afael ym mraich Mari a cheisio'i thynnu ar hyd y coridor.

'Paid â bod yn ddwl,' atebodd hithau. 'Mae'r dillad ar gyfer y gampfa ynddo fe. Fydda i ddim chwinciad chwannen yn ei nôl.'

Camodd Mari i mewn i'r stafell. Caeais fy llygaid, rhoi fy mysedd yn fy nghlustiau, ac aros. Doedd dim rhaid i mi aros yn hir . . .

'WAAAAAAA! WAAAAAAA! sgrechiodd Mari, gan ruthro drwy'r drws fel mellten, a bwrw i mewn i mi. 'LLYGOD MAWR! Yn *fanna*! Edrych!'

'*Un* llygoden fawr,' atebais gan bipo drwy'r drws. 'Paid â gor-ddweud.'

'Oeddet ti'n *gwybod* bod 'na lygoden fawr yna?' holodd Mari.

'Wel . . . o'n,' cyfaddefais. 'Fe ymddangosodd o rywle tra oeddet ti gyda Mrs Meredydd.

Dere, rhaid i ni frysio o'ma.'

'Wyt ti'n hollol DWP, Anni?' gofynnodd
Mari. 'Mae llygod mawr yn cario clefydau a
phob math o bethau ych a fi. Rhaid i ni *wneud*
rhywbeth. Gad i mi gael un cipolwg arall.'

'Os wyt ti'n mynnu,' ochneidiais. Sleifiodd y
ddwy ohonom i mewn i'r stafell ddosbarth.

Roedd Mrs Clatsh ar y gadair, yn syllu a
chwyrnu'n gas. Cododd un bawen a'i hysgwyd
ata i.

'Ydy'r *peth* yna'n dy fygwth di?' holodd
Mari'n anghrediniol. 'Ydy llygod mawr yn *gallu*
gwneud y fath beth?'

Cyn gynted ag roedd y geiriau allan o'i
cheg, noethodd Mrs Clatsh ei dannedd melyn
pigog, a chodi ar ei thraed ôl gan sgrechian a
phoeri'n wyllt. Saethodd fel fflach rhwng Mari
a fi, rhuthro drwy'r drws agored, a diflannu i
lawr y coridor.

Anadlais yn ddwfn. 'Wel, am anifail
cyfeillgar!' dywedais yn ysgafn. 'Gawn ni fynd
nawr?'

'*Beth*?' ebychodd Mari. 'Mynd heb o leiaf
ddweud wrth Mrs Meredydd neu'r gofalwr bod

21

'na lygoden fawr yn yr ysgol?'

'Does dim angen,' atebais gan afael ym mag Mari a dechrau ei llusgo i lawr y coridor. 'Dwyt ti ddim eisiau aros yma drwy'r nos, a cholli'r gystadleuaeth yn y gampfa, nac wyt?'

Doedd dim angen i mi ddweud rhagor. Mae Mari wrth ei bodd yn y gampfa.

'Ti sy'n iawn,' meddai. 'Ych a fi! Mae llygod mawr yn byw mewn draeniau a thipiau sbwriel, w'st ti! Welais i raglen deledu . . .'

Ac ar hyd y ffordd adre aeth Mari 'mlaen a 'mlaen am lygod, llygod mawr a chocrotsis, ond do'n i ddim yn gwrando arni.

Ro'n i mewn trwbwl. Trwbwl mawr. Petai Mrs Meredydd yn clywed mod i'n troi athrawon yn anifeiliaid, byddai'n siŵr o 'niarddel o'r ysgol. Gallai hyd yn oed dynnu fy holl bwerau gwrachaidd oddi arna i. A dyna'i diwedd hi – fyddai bywyd ddim gwerth ei fyw.

Rhywsut, roedd yn rhaid i mi feddwl am ffordd o droi Clatsh-y-llygoden-fawr yn ôl yn Clatsh-yr-athrawes-gwyddoniaeth-flin, a hynny *heb* i Mrs Meredydd wybod. Roedd un peth yn sicr – doedd dim eiliad i'w wastraffu.

4. GARTREF YN LÔN Y CLOGWYN

Ges i amser annifyr iawn y noson honno, gartref yn rhif 13 Lôn y Clogwyn. Yno dwi'n byw, gyda fy nwy fodryb. Dy'n nhw ddim yn wrachod eu hunain, ond maen nhw'n gwybod popeth am y grefft ac yn awyddus i mi ddysgu am y byd hud a lledrith.

Felly, cyn gynted ag y camais i mewn i'r gegin, fe ddywedais y cyfan wrthyn nhw am yr hyn oedd wedi digwydd yn yr ysgol. Ro'n i *wir* wedi meddwl y bydden nhw'n fy helpu . . .

Hy! Dim gobaith! Yn hytrach na chydymdeimlo, yr hyn wnaethon nhw oedd dwrdio – am *oriau*. Ches i ddim swper, hyd yn oed! Yr unig un oedd yn annwyl tuag ata i oedd fy nghath, Grwndi.

'Ond PAM?' gwaeddodd Modryb Mursen am y degfed tro. 'Pam yn y byd wnest ti rywbeth mor ddwl, mor ofnadwy?!'

'Achos fod Mrs Clatsh wastad yn pigo arna i,' protestiais. 'A heddiw, roedd hi hyd yn oed

wedi gwneud i Mari druan grio!'

'Anni fach,' meddai Modryb Mwyden, 'fe est ti braidd yn bell, dwyt ti ddim yn cytuno?'

'Roedd Mrs Clatsh yn ei haeddu,' dywedais yn bwdlyd. Neidiodd Grwndi i 'nghôl a rhoi cwtsh i mi. Diolch byth fod *rhywun* yn fy neall i!

'Does *neb* yn haeddu gorfod byw fel llygoden fawr!' mynnodd Modryb Mursen, gan ddyrnu bwrdd y gegin ac edrych ar y cawell gwag yn y gornel. 'Ac fe ddylwn *i* wybod,' ychwanegodd yn dawel.

Roedd hynny'n wir – roedd hi *yn* gwybod. Un tro, ymhell bell yn ôl, pan o'n i'n casáu Modryb Mursen, fe lwyddais i'w throi hi'n llygoden. Dim ond dechrau dysgu am hud a lledrith o'n i ar y pryd – ac roedd y swyn yn un *gwych*! Ond, yn naturiol, nid dyna fel roedd Modryb Mursen yn gweld pethau.

'Oes gen ti unrhyw syniad,' gofynnodd, 'sut deimlad yw edrych yn y drych a gweld bod gen ti glustiau mawr, pedair coes, wisgars a chynffon hir?' Crynodd wrth gofio am y profiad.

Roedd yn rhaid i mi gyfaddef nad oedd gen i syniad sut deimlad oedd e.

'Ac er i ti wneud dy orau, doeddet ti ddim yn gallu ei throi'n ôl yn fenyw,' meddai Modryb Mwyden. 'Roedd yn rhaid iddi fyw yn y cawell 'na am wythnosau bwygilydd, yn bwyta dim byd ond briwsion tost. Yn y diwedd, doedd dim dewis ond gofyn i Mrs Meredydd ddod draw i ddatrys y broblem.'

Suddodd fy nghalon. 'Ond allwn ni ddim galw ar Mrs Meredydd y tro hwn!' llefais mewn panig. 'Bydd hi'n gwneud rhywbeth ofnadwy . . . yn fy niarddel o'r ysgol . . . fy nhroi'n greadur erchyll . . !'

'Rwyt ti'n greadur erchyll yn barod,' meddai Modryb Mursen yn bigog.

'Pwyllwch, chi'ch dwy,' mynnodd Modryb Mwyden. 'Wnaiff hyn mo'r tro o gwbl.'

'Hy!' meddai Modryb Mursen. 'Arnat ti mae'r bai, Mwyden, am ddifetha'r ferch o'r diwrnod cyntaf . . .'

A ffrwydrodd clamp o ffrae rhwng y ddwy. Dyna oedd yn digwydd bob tro. Doedden nhw byth yn gallu cytuno ar y ffordd orau o fagu gwrach fach amddifad, a honno'n troi allan i fod yn dipyn o lond llaw.

Gwrandewais ar y ddwy'n dadlau am sbel cyn colli fy limpyn yn llwyr. Tynnais un esgid a'i defnyddio i daro'r bwrdd yn galed. Neidiodd Grwndi o 'nghôl mewn braw, a rhedeg i mewn i'w basged.

'DYNA DDIGON!' rhuais. 'Tra ry'ch chi'ch dwy'n dadlau, mae fy athrawes gwyddoniaeth yn dal i fod yn llygoden fawr yn sgwlcan o gwmpas yr ysgol. *Beth yn y byd wna i?*'

Yn y tawelwch sydyn a ddilynodd, edrychodd y ddwy fodryb ar ei gilydd ac arna innau. Roedd Modryb Mursen yn drymio'r bwrdd â'i bysedd, a Modryb Mwyden yn canu'n dawel.

'Ble mae Mrs Clatsh nawr?' holodd Modryb Mursen o'r diwedd.

'Pwy a ŵyr?' atebais. A'r eiliad honno, daeth syniad i 'mhen.

'*Dyna* be sy raid i mi ei wneud,' dywedais. 'Dod o hyd iddi, ei denu allan o'i chuddfan, a'i throi'n ôl yn fenyw. Dyw hi ddim wedi bod yn llygoden fawr am amser hir, a chyda dipyn o lwc fydd hi ddim yn cofio unrhyw beth.'

'Ond Anni fach,' meddai Modryb Mwydyn, 'rwyt ti wedi rhoi cynnig ar hynny'n barod yn y stafell ddosbarth – a methu'n llwyr!'

'Ie, wel, do'n i ddim yn canolbwyntio bryd hynny,' atebais yn swta. 'Y tro hwn, fe chwilia i am swyn gwerth chweil, a bydd pethau'n wahanol.'

'A sut wyt ti'n bwriadu dod o hyd iddi, Miss Gwybod-popeth?'

Am ychydig funudau, eisteddodd y tair ohonom yn ddistaw gan grafu'n pennau.

'Y belen risial!' meddai Modryb Mwyden o'r diwedd, gan glicio'i bysedd. 'Dy'n ni ddim wedi ei defnyddio ers hydoedd – ond bydd honno'n siŵr o ddweud wrthon ni ble mae Mrs Clatsh!'

A bod yn onest, ro'n i wedi anghofio'n llwyr am y belen risial. Yn Lôn y Clogwyn roedd ganddon ni lwythi o offer o'r cyfnod pan oedd y ddwy fodryb yn credu taw *nhw* oedd y gwrachod, nid fi. Roedd 'na sawl crochan, ysgubell neu ddwy, hetiau pigog a jariau o gynhwysion od – a'r cyfan yn driphlith draphlith dros y tŷ i gyd.

Dwi byth yn defnyddio stwff fel yna. Anaml iawn y bydda i'n defnyddio hudlath, hyd yn oed. Gwrach fodern ydw i – ac mae'r holl draddodiadau a'r geriach *mooor* henffasiwn! Ond rhaid cyfaddef eu bod yn eitha defnyddiol ambell dro – fel nawr!

Dringais ar ben cadair ac estyn at silff uchaf un o gypyrddau'r gegin. Yn ofalus, gafaelais mewn bocs – un coch tywyll a sêr arian drosto – a'i osod ar fwrdd y gegin. Safodd y tair ohonom o'i gwmpas, yn syllu arno.

'Dere 'mlaen, agora fe!' mynnodd Modryb Mwyden yn ddiamynedd.

'Iawn,' atebais. Codais gaead y bocs a chwilota drwy'r pentyrrau o bapur sidan y tu mewn. O'r diwedd, teimlais rywbeth caled, oer dan fy mysedd.

Disgleiriai'r belen risial yn llachar wrth i mi ei chodi o'r bocs a'i gosod ar y bwrdd. Syllais arni, a dechrau crynu.

5. Y BELEN RISIAL

Roedd y belen risial tua'r un maint â phen
person, ac wedi'i gwneud o ddarn o risial pur,
disglair o'r Hen Roeg. I'w dal yn ei lle, roedd
cylch bach o esgyrn dafad – wel, ro'n i'n
gobeithio taw esgyrn dafad oedden nhw! – ac ar

un ochr roedd sawl
bwlyn bach gwyn
ar siâp penglog
person.

'Brysia, wir,
Anni,' siarsiodd
Modryb Mursen.

Caeais fy
llygaid a cheisio
cofio beth roedd
Mrs Meredydd
wedi'i ddysgu i mi
am y belen risial.
Estynnais fy nwylo

drosti, anadlu'n ddwfn, ac adrodd:

'Mrs Clatsh — o, ble mae hi?
Belen risial, dangosa i mi!'

Agorais fy llygaid. Tu mewn i'r belen risial,
roedd holl liwiau'r enfys yn toddi i'w gilydd i
greu rhyw niwl hyfryd, amryliw. O ganol y
niwl, poerai gwreichion
bach coch — a
glaniodd un ar
law Modryb
Mwyden.

 'Aw!' llefodd.
 'Sshhh!'
siarsiodd Modryb
Mursen. 'Mae
Anni'n trio
canolbwyntio!'
 Wrth i mi syllu
i mewn i'r belen,
cliriodd y lliwiau
a gwelais lun yn
dechrau ffurfio …

siâp tywyll . . . cynffon hir a wisgars . . .

'Dacw hi!' gwaeddais. Ceisiodd Grwndi ymestyn at y belen risial gan lyfu'i gweflau wrth weld y llygoden fawr flasus.

'Dos o'ma, Grwndi,' dywedais. 'Paid hyd yn oed â *meddwl* mynd amdani.'

Syllais i mewn i'r belen. Roedd Mrs Clatsh yn swatio mewn stafell fechan, gan wichian yn ddistaw wrth iddi rwygo rhyw ddefnydd glas yn rhacs â'i dannedd bach miniog.

Wrth droi ambell fwlyn ar y belen, gallwn weld y darlun yn gliriach. Roedd y stafell yn edrych yn gyfarwydd . . . yn gyfarwydd IAWN!

'O na!' llefais. 'Fy stafell wely *i* yw honna! Mae Mrs Clatsh *yma*, yn ein tŷ ni, yn fy stafell *i* – ac mae hi'n difetha fy *nillad* i! Alla i ddim credu'r peth!'

Neidiodd y ddwy fodryb o'u seddau a rhuthro'n wyllt o gwmpas y gegin gan daro i mewn i'w gilydd ac i'r celfi.

'Dalia hi, Mursen!' gwaeddodd Modryb Mwyden.

'Pam ddylwn i? Dalia *di* hi!' llefodd Modryb Mursen.

'Ble mae'r trap llygoden?' gwaeddodd y ddwy gyda'i gilydd, gan agor drysau pob cwpwrdd mewn panig.

'Edrychwch arni!' llefais. 'Mae hi'n rhwygo fy jîns newydd sbon i!'

'Wel wir, Anni,' meddai Modryb Mwyden, 'os oedd Mrs Clatsh yn dy gasáu di pan oedd hi'n fenyw, mae hi'n amlwg yn dy gasáu di'n fwy fyth nawr ei bod hi'n llygoden fawr!'

Syllodd y tair ohonom yn syn wrth i'r dannedd bach pigog rwygo a chnoi'n brysur. Yn sydyn, edrychodd Mrs Clatsh yn syth arna i a hisian yn fygythiol.

Neidiais yn ôl mewn braw, ac aeth y llun yn niwlog. 'O na!' llefais. 'Mae hi'n gallu fy ngweld i!'

'Tro'r bwlyn 'na!' gorchmynnodd Modryb Mursen. 'Mae'r llun yn diflannu!'

Yn araf, daeth y llun yn glir unwaith eto. Y tro hwn, wrth i mi syllu, gwelwn ryw siâp du yn symud yn araf yn y cysgodion. Beth yn y byd oedd e? Roedd ganddo ddau lygad aur, a symudai'n araf, ofalus, yn nes ac yn nes at Mrs Clatsh . . .

Edrychodd Modryb Mwyden o'i chwmpas. 'O diar,' meddai. 'Dwi ddim am i ti boeni, Anni, ond ble mae Grwndi?'

Edrychais ym mhob twll a chornel – ond doedd dim golwg o'r gath yn unman. Syllais eto ar y belen risial, ac ar y siâp tywyll a'r llygaid lliw aur oedd yn cropian yn nes ac yn nes at Mrs Clatsh . . .

'O NA!' llefais. 'Mae Grwndi yn fy stafell wely i . . . yn trio dal swper blasus iddi'i hun!'

Yn sydyn, safodd Mrs Clatsh yn stond. Roedd ei chlustiau a'i wisgars yn crynu wrth iddi gymryd cipolwg dros ei hysgwydd flewog . . .

A'r eiliad nesaf, clywais 'POP!' uchel wrth i'r llun yn y belen risial ddiflannu mewn niwl trwchus.

6. ATHRAWES AR GOLL!

Y bore wedyn, ro'n i'n hwyr yn sleifio i mewn i'r gwasanaeth.

'Anni!' sibrydodd Mari. 'Dwi wedi cadw lle i ti.'

Eisteddais yn dawel yn fy sedd, yn hanner cysgu.

Roedd yr ysgol yn ferw gwyllt o brysurdeb, a phlismyn yn crwydro pob twll a chornel. Ond ro'n i'n rhy flinedig i gymryd llawer o sylw.

Y noson cynt, ro'n i wedi bod wrthi am oriau'n rhuthro o gwmpas y tŷ a'r ardd, yn ceisio cael gafael ar Grwndi cyn iddi *hi* suddo'i chrafangau i mewn i Mrs Clatsh.

Methiant llwyr oedd y cyfan. Pan ddaeth Grwndi i'r golwg o'r diwedd, roedd hi wedi hanner nos. Roedd hi mewn hwyliau da, yn chwifio'i chynffon ac yn llyfu'i gweflau. Doedd dim golwg o Mrs Clatsh . . . ond yn fy stafell wely roedd pentwr o garpiau blêr lle roedd fy jîns newydd yn arfer bod.

Chysgais i fawr ddim ar ôl hynny. Oedd Mrs Clatsh yn fyw neu'n farw? Roedd pethau'n sicr wedi mynd dros ben llestri y tro hwn . . .

Yn y gwasanaeth, safai Mrs Meredydd ar lwyfan y neuadd yn gwisgo siwt las, a'r athrawon yn eistedd mewn rhesi y tu ôl iddi. Dechreuodd siarad mewn llais llawn pryder.

'Bore da, blant,' meddai. 'Dwi'n siŵr eich bod wedi sylwi ar yr heddlu sy yn yr ysgol heddiw.'

Trodd pawb at ei gilydd a chlebran yn swnllyd am ychydig eiliadau.

Aeth Mrs Meredydd yn ei blaen. 'Y rheswm am hynny yw fod Mr Clatsh, gofalwr yr ysgol, wedi eu ffonio neithiwr i ddweud nad oedd Mrs Clatsh wedi dod adre.'

Cododd ton o sŵn wrth i'r plant ymateb i'r newyddion. Pwniodd Mari fi, a suddais yn ddyfnach i mewn i'r gadair.

'Dwi'n gobeithio y bydd pawb yn fodlon ateb cwestiynau'r heddlu, a rhoi pob help posib iddyn nhw,' ychwanegodd Mrs Meredydd. 'Mr

Clatsh, ddewch chi 'mlaen i ddweud gair neu ddau, os gwelwch chi'n dda?'

Cerddodd Mr Clatsh – dyn byr, cryf yr olwg, gyda thrwyn fflat a dwy foch goch – ar y llwyfan a dechrau siarad.

'Ro'n i'n disgwyl Mrs Clatsh adre am 4.23 ddoe,' meddai. 'Erbyn 4.33, roedd hi'n dal heb gyrraedd – a dim golwg bod te'n barod, cofiwch! Felly, fe wnes y peth amlwg, sef ffonio'r heddlu.'

Wrth i Mr Clatsh siarad, sylwais o gornel fy llygad fod llenni coch y neuadd yn symud ohonynt eu hunain . . .

Diolch byth, meddyliais wrth weld trwyn pigog a wisgars yn dod i'r golwg, '*o leia mae Mrs Clatsh yn fyw!*'

Roedd cyffro mawr yn y neuadd wrth i'r plant, bob yn un, sylwi ar y llygoden fawr yn sleifio i'r golwg. Yn fuan iawn, roedd y lle'n ferw gwyllt wrth i bawb sgrechian, chwerthin a phwyntio – a Mari'n waeth na neb!

'Tawelwch!' gwaeddodd Mrs Meredydd gan chwifio'i dwylo yn yr awyr. Ond doedd neb yn gwrando . . .

Wrth i Mrs Clatsh ruthro ar draws y llwyfan, neidiodd yr athrawon ar eu seddau i'w hosgoi. Anelodd y llygoden fawr yn syth at Mr Clatsh, sefyll o'i flaen a dechrau tapio'i phawennau'n ddiamynedd. Doedd gan y gofalwr druan ddim syniad, wrth gwrs, mai ei wraig oedd yno – a chollodd ei limpyn yn llwyr.

'Beth yn y byd wyt ti'n ei wneud yn fy ysgol i, y creadur budr?' gwaeddodd yn flin, ei wyneb yn borffor. 'Dos o'ma!'

Ar hynny, tynnodd frwsh sgwrio o'i boced

a'i hyrddio ar Mrs Clatsh gan ei tharo ar ei phen. Gwichiodd hithau mewn poen, a rhedeg oddi ar y llwyfan.

Wrth iddi fynd heibio i mi, arhosodd am eiliad. Cododd ei phawennau at ochr ei phen, a thynnu tafod arna i! Yna trodd a rhuthro i ffwrdd.

Gafaelodd Mari yn fy mraich. 'Yr un llygoden fawr yw honna â'r un welson ni ddoe!' llefodd. 'Mi faswn i'n nabod y wisgers 'na yn unrhyw le! Beth sy ganddi hi yn dy erbyn di?'

Ddywedais i 'run gair. Roedd yn amlwg fod Mrs Clatsh yn bwriadu mynd o'i ffordd i greu trwbwl i mi – ac yn llwyddo hefyd. Erbyn hyn, roedd hi'n ôl ar y llwyfan – yn syllu arna i a golwg filain yn ei llygaid.

7. Y SWYN 'DWEUD-Y-GWIR'

Ro'n i'n cicio pêl-droed yn erbyn y ffens pan ddaeth y neges ro'n i wedi bod yn ei hofni.

'Anni!' galwodd Mari, gan wthio'i phen drwy ffenest agored. 'Mae Mrs Meredydd am i ti fynd draw i'w swyddfa hi ar unwaith!'

O na! meddyliais. *Mae hi ar ben arna i nawr . . .*

'Beth wyt ti wedi'i wneud?' gofynnodd Mari. 'Ydy e'n rhywbeth i'w wneud â'r llygoden fawr 'na?'

'Pam wyt ti'n gofyn hynna?' atebais yn gyflym. 'Mae'n fwy tebyg bod Mrs Meredydd wedi sylwi mod i'n hwyr yn cyrraedd bore 'ma.'

'Wel, pob hwyl ta beth,' meddai Mari gan gau'r ffenest.

Ciciais y bêl dros y ffens cyn cerdded yn araf i gyfeiriad swyddfa Mrs Meredydd. Roedd y drws ar gau. Darllenais yr arwydd arno:

Mrs Meredydd
Pennaeth

Anadlais yn ddwfn, curo a mentro i mewn.

'Wel, wel,' meddai Mrs Meredydd, gan syllu arna i â'i llygaid glas, disglair. 'Dyma ti – Anni Gwyn, fy nisgybl arbennig.'

'Bore da, Mrs Meredydd,' dywedais mewn llais crynedig.

Fi oedd yr unig un yn yr ysgol oedd yn gwybod bod Mrs Meredydd nid yn unig yn bennaeth, ond hefyd yn wrach brofiadol. Er nad oedd neb yn sylweddoli bod ganddi bwerau arbennig, roedd pawb yn ei pharchu. Roedd ganddi enw da am fod yn gadarn ond yn deg – a doedd neb yn mentro cymryd mantais ohoni.

Ond nawr, ro'n i ar fin gwneud rhywbeth OFNADWY. Ro'n i am ddweud clamp o gelwydd mawr – ac roedd hynny'n ddigon i wneud i mi fod eisiau neidio ar yr awyren gyntaf i Awstralia.

'Sut mae dy wersi hud a lledrith di'n dod 'mlaen, Anni?' gofynnodd Mrs Meredydd. 'Wyt ti wedi bod mewn unrhyw weithdai diddorol yn ddiweddar?'

'Naddo, Miss,' atebais gan geisio peidio ag edrych arni. 'Dwi wedi bod yn astudio gartre'n bennaf.'

'A beth am y gwaith *ymarferol*?' holodd wedyn gan syllu dros ei sbectol. 'Wyt ti wedi gwneud unrhyw arbrofion da?'

Roedd fy nghalon yn curo fel gordd. 'Naddo, Miss,' atebais, gan droi a throsi gwaelod fy siwmper yn fy nwylo chwyslyd.

'Wyt ti'n berffaith siŵr, Anni?' mynnodd Mrs Meredydd. 'Beth am "Newid Siâp", er enghraifft? Dwi'n gwybod dy fod ti'n hoff iawn o'r swyn hwnnw.'

Oedais am eiliad cyn i'r celwydd lithro allan o 'ngheg. 'Naddo, Miss . . .'

Cododd Mrs Meredydd o'i chadair a sefyll o 'mlaen i. Pwysodd yn erbyn y bocs mawr arian oedd ar ei desg. Ro'n i'n gyfarwydd â'r bocs – hwnna roedden ni'n ei ddefnyddio pan o'n i'n cael gwers ganddi. Bocs hud a lledrith Mrs Meredydd oedd e, yn sicr – ond pam oedd e yn ei swyddfa? Llyncais yn galed.

'Mae'n beth od, on'd yw e?' meddai. 'Ti oedd y person olaf i weld Mrs Clatsh neithiwr, yntê?'

'Nid fy mai i yw hynny!' llefais.

'Ac yna, yn sydyn, mae 'na lygoden fawr yn ymddangos yn yr ysgol,' meddai Mrs Meredydd, fel petawn i heb ddweud gair, 'a honno'n amlwg yn dy gasáu di.'

'Does gen i ddim syniad pam, Miss,' protestiais. Erbyn hynny ro'n i'n diferu o chwys, a bron â marw eisiau mynd i'r tŷ bach.

Syllodd Mrs Meredydd arna i â llygaid cul. 'Dwi wedi cael siom fawr ynot ti, Anni,' meddai. 'Rwyt ti'n amlwg yn cuddio rhywbeth oddi wrtha i.'

Teimlwn yn llawn cywilydd. Ypsetio Mrs Meredydd oedd y peth olaf ar fy meddwl – ond fedrwn i yn fy myw gyfaddef y gwir wrthi. *Fedrwn i ddim!*

Aeth Mrs Meredydd at y bocs hud a lledrith a'i agor. 'Paid â meddwl am eiliad, wrach fach annwyl,' meddai, 'mod i'n mynd i anwybyddu'r hyn wnest ti. *Rhaid* i mi fynd at wraidd y broblem!'

Trodd yn gyflym tuag ataf. Roedd hudlath

arian, hir yn ei llaw – a honno'n pwyntio'n syth ata i!

'Mae'n bryd i mi ddefnyddio'r swyn "Dweud-y-gwir", dwi'n credu,' meddai.

'O, na!' llefais mewn braw. 'Plis peidiwch! Dwi *yn* dweud y gwir!'

'Nag wyt, Anni,' mynnodd Mrs Meredydd. 'Dwyt ti ddim!'

Ar hynny, cododd ei breichiau i'r awyr ac adrodd:

'Edrycha arnaf a chyfri i dri,
Ac mewn amrantiad fe weli di
'Sdim pwynt protestio, dadlau'n ffri –
Y gwir ddaw allan, cred ti fi!'

Syllodd arna i â'i llygaid glas, disglair. A fedrwn i yn fy myw edrych i ffwrdd. Dechreuodd fy nhrwyn gosi, ac roedd fy nhu mewn yn teimlo fel jeli.

'Uuuun . . .' dechreuais, yn araf. Do'n i ddim *eisiau* cyfri i dri – ond roedd y geiriau'n mynnu dod allan o 'ngheg. Roedd y swyn yma'n un arbennig o gryf!

'Daaau . . .'

Ro'n i'n gwybod, cyn gynted ag y byddwn yn dweud y gair nesaf, y byddai'r holl hanes ofnadwy am Mrs Clatsh yn llifo mas ohono i.

'Tri!' llefais.

'Neithiwr, fe . . .'

RAT-TAT-TAT-A-TAT!

Torrwyd ar draws y swyn gan rywun yn curo ar ddrws y swyddfa.

Ochneidiodd Mrs Meredydd a throi oddi wrtha i.

'Pwy sy 'na?' holodd.

'Yr heddlu, madam,' atebodd rhyw lais cryf. 'Gawn ni air, os gwelwch yn dda?'

Gosododd Mrs Meredydd ei hudlath yn ôl yn y bocs arbennig, a mynd i agor y drws. Gallwn glywed lleisiau'n siarad yn dawel.

Ro'n i'n gwybod na allai'r swyn weithio heblaw fod Mrs Meredydd yn syllu i mewn i'm llygaid. Teimlwn y niwl yn fy mhen yn dechrau clirio. *Whiw!* meddyliais. *Roedd hynna'n agos! Ond fe fydd hi'n ôl unrhyw funud . . .*

Roedd y bocs hud a lledrith, a'r allwedd arian hardd, ar y bwrdd o 'mlaen i. Doedd neb yn edrych arna i – roedd Mrs Meredydd a'r plismon yn rhy brysur yn siarad. Sleifiais at y bocs. *Rhaid bod 'na rywbeth yn hwn allai fy helpu i*, meddyliais. *Ond beth, tybed?*

'Popeth yn iawn, fe ddo i nawr,' meddai Mrs Meredydd wrth y plismon, cyn cau'r drws.

Brensiach! Mae hi'n dod yn ei hôl! meddyliais, gan gamu'n gyflym oddi wrth y bocs.

'Rhaid i mi fynd, Anni,' meddai Mrs Meredydd. 'Ond paid â meddwl am eiliad mai dyna ddiwedd y mater.'

'Iawn, Miss,' atebais yn dawel.

Gwyliais Mrs Meredydd wrth iddi godi'r allwedd arian, cloi'r bocs a rhoi'r allwedd yn nrôr top ei desg. Gwisgodd ei chôt law, fy ngwthio drwy'r drws, a cherdded yn gyflym i lawr y coridor heb edrych yn ôl.

Roedd cynllun newydd yn dechrau ffurfio yn fy meddwl. Meddyliais am y bocs hud a lledrith – a'r allwedd arian yn nrôr y ddesg.

Erbyn hyn, roedd yn amser chwarae. Es yn ôl at fy ffrindiau gan wenu'n slei.

8. Y BOCS HUD A LLEDRITH

Yn hwyrach y noson honno, gwisgais fy nhrênyrs am fy nhraed a stwffio hen het gwrach a hudlath i mewn i fag. Fy nghynllun oedd torri i mewn i'r ysgol ac i swyddfa Mrs Meredydd, er mwyn gweld oedd 'na unrhyw beth yn y bocs hud a lledrith allai fy helpu i ddatrys problem Mrs Clatsh.

Ro'n i'n dychymygu bod pob math o bethau cŵl yn y bocs arbennig – swyn i'ch gwneud yn anweledig, falle, neu swyn i wneud i chi hedfan! Roedd pawb yn dweud mod i'n rhy ifanc i botsian gyda phethau fel yna – ond y tro hwn fyddai neb o gwmpas i'm rhwystro!

Roedd Grwndi'n awyddus iawn i ddod hefyd. Syllai arna i â'i llygaid lliw aur, a rhwbio yn erbyn fy nghoesau.

'Dim gobaith, Grwndi fach,' dywedais wrthi. 'Dyw hyn ddim yn waith addas i gath. Byddet ti'n siŵr o'i llarpio hi!'

Doedd Grwndi ddim yn hapus o gwbl. Gwthiodd ei chrafangau miniog i mewn i 'nghoesau gan fewian yn uchel.

'Aw!' llefais. 'Dos o'ma, wir, cyn i ti ddeffro'r ddwy fodryb.'

O'r diwedd, pwdodd Grwndi a sleifio i gornel y stafell wely. Agorais innau y ffenest a dringo allan i'r nos.

Cerddais i Ysgol Pant-y-pwca ar hyd strydoedd oedd yn dawel fel y bedd. *Rhaid mod i'n hanner call a dwl*, meddyliais. *Mae pawb arall yn swatio mewn gwely cynnes, nid yn sleifio drwy'r tywyllwch fel lleidr.*

Crynais wrth weld siâp du, brawychus yr ysgol yn codi o 'mlaen. Roedd y gatiau haearn ar glo, felly gwthiais drwy dwll yn y ffens ac i mewn i'r cae chwarae. Cerddais ar hyd y rhes o ffenestri, yn chwilio am yr un oedd wastad yn gilagored am fod y clo wedi torri.

Bob tro roedd 'na aderyn yn crawcian, neu gangen yn gwichian, roedd fy nghalon yn neidio i 'ngheg. Llithrai dafnau o chwys o 'nhalcen i mewn i'm llygaid nes mod i prin yn gallu gweld. O'r diwedd, dois o hyd i'r ffenest gywir a dringo drwyddi.

Roedd coridor yr ysgol yn fwy sbŵci na'r cae chwarae, hyd yn oed. Er bod pobman yn dywyll fel bol buwch, roedd pelydrau arian y lleuad lawn yn disgleirio drwy'r ffenestri. Trwyddyn nhw gallwn weld cysgodion y coed yn dawnsio fel sgerbydau du, yn union fel petaen nhw'n symud i ryw gerddoriaeth hudol . . .

Agorais y drws i swyddfa Mrs Meredydd. Roedd fy nghalon yn curo fel drwm wrth i mi sleifio at y ddesg.

A dyna lle roedd e – y bocs hud a lledrith, yn disgleirio yng ngolau'r lleuad.

Chwiliais yn y drôr am yr allwedd arian, a'i gwthio i mewn i dwll y clo. Neidiodd caead y bocs ar agor . . .

'*Waw!*' llefais wrth weld ei fod yn llawn dop o bob math o geriach hud a lledrith, swynion a thriciau. Roedd y rhan fwyaf yn llawer rhy gymhleth i wrach ifanc fel fi – fyddwn i byth yn mentro!

Tynnais bopeth allan fesul un – powdr i'ch gwneud yn anweledig, esgyrn bysedd cawr i ddweud ffortiwn, llwch hud, pelen risial fechan fach, offer creu breuddwydion, ffiol o wenwyn draig . . .

Agorais jar yn llawn o ryw stwff gwyrdd, a'i sniffian. *Ych a fi!* Roedd yr arogl fel cymysgedd o laeth camel wedi suro, a thu fewn pysgodyn. Bron i mi gyfogi!

Darllenais y label ar y jar – 'Sleim Swyn'. *Hy! Does dim byd yn swynol ynghylch hwn*, meddyliais, gan roi'r jar ar y ddesg.

Ro'n i mor brysur yn chwilota yn y bocs fel mod i heb sylwi ar y cysgod arall ar wal y swyddfa . . .

Teimlais ias yn mynd i lawr fy nghefn wrth weld, trwy gornel fy llygad, rhyw siâp tywyll yn ymddangos. Trois yn araf a gweld cysgod – a hwnnw'n tyfu'n fwy bob eiliad.

Beth yn y byd oedd e – cangen efallai, neu gwmwl? Ond wrth i mi syllu, sylweddolais bod gan y cysgod yma wisgars . . .

'Grwndi? Ti sy 'na?' sibrydais yn obeithiol, gan feddwl falle ei bod wedi penderfynu fy nilyn wedi'r cwbwl . . .

Ond, yn sydyn, daeth sgrech arswydus o gyfeiriad y cysgod. Ro'n i wedi clywed y sgrech honno o'r blaen – ac *nid* Grwndi oedd yn gyfrifol!

Allan o'r tywyllwch ymddangosodd siâp tywyll – Mrs Clatsh! Neidiodd ar y ddesg a syllu arna i â llygaid bach llawn casineb. Cyn i mi allu ei rhwystro, gwthiodd fi i'r naill ochr a neidio'n syth i mewn i'r bocs hud.

'Dos o'ma!' sgrechiais, gan wneud fy ngorau glas i'w thynnu allan o'r bocs.

Ond, o lygoden fawr, roedd Mrs Clatsh yn syndod o gryf. Defnyddiodd un goes ôl i gadw caead y bocs ar agor, a thynnu'r holl gynnwys allan â'i phawennau blaen. Taflodd y cyfan ata i – pennau madfallod wedi'u sychu, llygaid siarcod, popeth!

Es i 'nghwrcwd i geisio osgoi'r holl stwff hud

a lledrith oedd yn sïo heibio fy nghlustiau cyn ffrwydro'n llanast ar y llawr.

Ar ôl rhyw ddeg eiliad, ymddangosodd pen Mrs Clatsh o grombil y bocs. Roedd ei wisgars yn crynu wrth iddi godi rhywbeth yn ei phawennau blaen – ffiol fechan yn llawn o bowdr pinc. Y tro hwn, anelodd yn ofalus cyn taflu'r powdr tuag ataf. Llwyddais i osgoi'r rhan fwyaf ohono, ond glaniodd ychydig bach ar fy nhraed . . .

'NA! HELP!' sgrechiais, gan sylwi'n sydyn nad o'n i'n gallu teimlo fy nhraed. Syllais arnyn nhw mewn braw. Y tu mewn i'r trênyrs roedden nhw'n mynd yn llai ac yn llai bob eiliad. Wrth i mi godi un droed ar y tro roedd fy sanau a 'nhrênyrs yn cwympo i ffwrdd.

Ro'n i'n gwbl gegrwth! Nawr, ar y ddwy droed, roedd gen i ddau fodyn mawr ac un bodyn bach. Rhwbiais fy llygaid yn galed a sylweddoli rhywbeth ofnadwy . . . roedd gen i ddwy droed *mochyn*!

'Mrs Clatsh!' llefais. 'Ble mae fy nhraed i? Beth y'ch chi wedi'i wneud?!'

Glywsoch chi lygoden fawr yn chwerthin

58

erioed? Naddo? Wel, gallaf ddweud yn bendant ei fod yn sŵn cwbl erchyll! Chwarddodd Mrs Clatsh nes bod ei hysgwyddau esgyrnog, blewog, yn crynu fel jeli.

Yn fy nhymer, gafaelais yn y jar o Sleim Swyn. 'Reit, y creadur hyll!' rhuais. 'Chei di ddim gwneud ffŵl ohona i!' A thaflais gynnwys y jar dros Mrs Clatsh.

Am eiliad, rhewodd Mrs Clatsh yn ei hunfan, ei dwy bawen i fyny a sleim gwyrdd yn diferu oddi ar ei ffwr. Yna, o flaen fy llygaid, newidiodd – ond nid newid i fod yn fenyw . . .

Yn hytrach, tyfodd ei thrwyn yn hirach, a'i dannedd melyn yn fwy pigog. Estynnodd ei chynffon yn ddwywaith y maint, a thyfu blew trwchus, du ar ei phen pellaf.

Tyfodd ei chorff nes ei bod yr un maint â chi, ac roedd ei ffwr brown, seimlyd, yn llawn clymau a chaglau.

O fewn ychydig eiliadau, roedd Mrs Clatsh wedi troi o fod yn lygoden fawr ddigon cyffredin i fod yn ANGHENFIL. Do'n i erioed wedi gweld y fath beth yn fy myw! Roedd hi'n ANFERTH!

'Brensiach y bratiau!' llefais. 'Be dwi wedi'i wneud? Mae hi ar ben arna i – does gen i ddim gobaith dianc oddi wrth y fath greadur!'

Dechreuais gropian wysg fy nghefn i gornel y swyddfa wrth i'r arswydus Mrs Clatsh frasgamu tuag ataf.

9. SGWRS GANOL NOS

Roedd fy nghalon yn curo'n galed wrth i Mrs Clatsh sleifio tuag ataf. Yn sydyn, dechreuodd ei chlustiau grynu – a stopiodd yn stond. Roedd 'na sŵn traed i'w glywed y tu allan i'r swyddfa.

Caeais fy llygaid. Tybed oedd Mr Clatsh, y gofalwr, yn rhoi un tro arall o amgylch yr ysgol? Neu falle bod Mrs Meredydd wedi penderfynu dod i nôl ei bocs hud a lledrith? Wyddwn i ddim beth oedd waethaf – cael fy nal yn lladrata yn swyddfa'r pennaeth, neu bod yn swper blasus i lygoden fawr cymaint â chi . . .

Ond doedd Mrs Clatsh ddim yn bwriadu aros i weld pwy oedd yn dod. Gan syllu arnaf â llygaid llawn casineb, neidiodd tuag at y ffenest. *CRASH!* Diflannodd mewn cawod o wydr, a gadael clamp o dwll mawr ar ei hôl.

Tawelodd y sŵn traed am eiliad cyn camu'n syth at ddrws y swyddfa. Doedd gen i unman i fynd – ro'n i wedi fy nal fel cleren mewn gwe.

Caeais y bocs hud a lledrith ar frys, taflu'r allwedd i mewn i'r drôr a mynd i 'nghwrcwd y tu ôl i'r ddesg. Gwiiiiichiodd y drws ar agor . . .

Ond nid Mr Clatsh na Mrs Meredydd oedd yno wedi'r cwbl. Yno'n sbecian drwy'r drws agored roedd y person olaf o'n i'n disgwyl ei gweld . . .

'*Mari!*' llefais, gan godi ar fy nhraed.

'Wel, wel!' atebodd. 'Dyma ti o'r diwedd!'

'Fedra i ddim credu'r peth!' dywedais. 'Beth yn y byd wyt *ti*'n ei wneud yma?'

'Fe welais i ti'n dringo allan o ffenest dy stafell wely,' atebodd, 'a phenderfynu dy ddilyn. Ond paid â phoeni amdana i – beth sy'n digwydd fan hyn? A beth yw'r holl stwff rhyfedd 'ma ar y llawr?'

Doedd gen i ddim syniad ble i ddechrau. Do'n i erioed wedi dweud wrth Mari mod i'n wrach, rhag ofn na fyddai hi am fod yn ffrind i mi. Ond nawr ei bod hi wedi fy nal yn ymddwyn mor od, falle ei bod yn bryd i mi ddweud y gwir wrthi. Ro'n i wedi cael llond bol ar ddweud celwydd. Ac wedi'r cyfan, Mari oedd fy ffrind gorau yn y byd i gyd.

Ond beth petai hi'n gwrthod fy nghredu? Neu'n meddwl mod i'n hanner call a dwl – neu'n dweud celwydd?

A beth yn y byd fyddai hi'n ei ddweud am fy nhraed? Pwy fyddai'n fodlon bod yn ffrind gorau i rywun oedd â thraed mochyn?

'Stedda i lawr, Mari,' dywedais. 'Mae gen i rywbeth pwysig i'w ddweud wrthot ti.'

'Dwi'n gwrando,' atebodd, gan eistedd mewn cadair a chroesi'i breichiau.

Anadlais yn ddwfn cyn dweud y cyfan wrth Mari. Wel, *bron* y cyfan.

Eisteddodd Mari'n dawel wrth i mi ddweud yr hanes am Modryb Mursen a Modryb Mwyden yn fy mabwysiadu, a sut roedden ni wedi darganfod mod i wedi fy ngeni'n wrach go iawn.

Soniais wrthi mod i'n astudio hud a lledrith gartref. Dywedais wrthi mai'r swyn 'Newid Siâp' oedd fy ffefryn, a mod i wedi ei ddefnyddio gyda Mrs Clatsh.

Es ymlaen i ddweud beth oedd wedi digwydd heno . . . cyn dangos fy nhraed mochyn iddi.

Chwarae teg i Mari, derbyniodd y cyfan yn rhyfeddol o dda. Ddywedodd hi 'run gair am funud neu ddau, dim ond syllu arna i. Daliais fy anadl. Fyddai hi'n dweud yr hanes wrth bawb yn yr ysgol fory, tybed? Byddai hynny'n *ofnadwy*!

'Waw, Anni!' dywedodd Mari o'r diwedd. 'Mae hynna mor *cŵl*! Fyddwn i byth wedi dychmygu'r fath beth! Rwyt ti'n edrych mor . . . *gyffredin*! Wel, y rhan fwya ohonot ti, o leia,' meddai gan wenu.

'Diolch yn fawr!' atebais.

'O ble mae'r holl stwff 'ma wedi dod?' holodd Mari, gan grychu'i thrwyn.

'O, dim ond rhyw fân bethau dwi'n eu cadw yn yr ysgol ydyn nhw,' atebais yn gelwyddog.

Er mod i'n fodlon dweud bron popeth wrth Mari amdana i fy hun, feiddiwn i ddim sôn gair am Mrs Meredydd. Mae honno'n rheol aur yn y byd hud a lledrith – ddylech chi byth enwi gwrachod eraill.

'Wyt ti'n gallu cerdded ar y traed 'na?' holodd Mari. 'Gallen ni stwffio dy sanau i mewn i'r trênyrs a gwthio dy draed i mewn iddyn nhw. Wnân nhw ddim llithro i ffwrdd, a fydd neb yn sylwi.'

Diolch byth! meddyliais. *Mae Mari'n ffrind da, yn fodlon fy nghefnogi i drwy'r cyfan . . .*

'Dere, mae'n bryd i ni fynd,' dywedais.

Ar hyd y ffordd adre, bu'r ddwy ohonon ni'n siarad pymtheg y dwsin. Ro'n i mor falch o allu rhannu'r gyfrinach gyda Mari. Yng nghegin gartrefol 13 Lôn y Clogwyn, buon ni'n ceisio penderfynu beth i'w wneud nesaf.

'Y sefyllfa yw hyn,' meddai Mari gan lyncu diferion olaf ei diod siocled. 'Nid *unrhyw* hen lygoden fawr sy'n rhydd, ond anghenfil anferthol, peryglus . . .'

Teimlwn yn drist. Gwthiodd Grwndi rhwng y ddwy ohonom i 'nghysuro.

'Heb sôn am y ffaith fod gen ti draed mochyn, a dim syniad sut i gael gwared ohonyn nhw!' ychwanegodd Mari.

'Dwi wastad yn gwneud fy ngorau,' dywedais yn dawel, 'ond mae popeth yn mynd yn ffradach am ryw reswm.'

'Wel, diolch byth fod gen ti ffrind da i dy helpu di felly, yntê?'

Dechreuais wenu am y tro cyntaf mewn dau ddiwrnod. Efallai fod 'na obaith y byddai popeth yn iawn wedi'r cwbl . . .

'Reit,' dywedais yn benderfynol. 'Sut ry'n ni'n mynd i ddod o hyd i Mrs Clatsh cyn iddi *hi* gael gafael ynof *i*?'

'Dyw llygod mawr ddim yn crwydro'n bell,' meddai Mari. 'Mae'n fwya tebyg ei bod hi'n dal yn yr ysgol, neu . . .'

'Aha!' llefais. 'Mi fetia i ei bod wedi mynd adre – wedi'r cwbl, mae tŷ Mr a Mrs Clatsh yn cefnu ar yr ysgol.'

'Wel, mae hynna'n gwneud synnwyr,' meddai Mari, 'ond ar beth mae hi'n byw?'

'Mae llygod mawr wrth eu bodd yn sgwlcan o gwmpas y biniau,' atebais. 'A dyna lle ddechreuwn ni – mae biniau'r ysgol yng ngwaelod eu gardd.'

'A beth wedyn?' holodd Mari. 'Pa obaith sy 'da ni o ddal y fath anghenfil?'

'Hmmm,' dywedais. 'Rhaid i mi gael amser i feddwl. Fe af i chwilio yn rhai o'm llyfrau i weld a alla i ddod o hyd i rywbeth fydd yn newid yr anghenfil yn ôl yn fenyw. Dyw'r swyn "Newid Siâp" ddim yn broblem – ond dwi ddim yn cael cystal hwyl wrth ei newid yn ôl!'

'Mae hynny'n eitha amlwg,' meddai Mari, gan ddylyfu gên. 'Ga i fynd adre nawr, plis? *Rhaid* i mi gael rhywfaint o gwsg cyn bore fory.'

'Rwyt ti'n lwcus,' dywedais wrth gydgerdded â Mari tuag at y drws. 'Mae gen i lawer gormod i'w wneud i allu cysgu. Wela i di fory.'

'Nos da,' meddai Mari gan wenu. 'A chofia olchi'r traed mochyn 'na rhag iddyn nhw ddechrau drewi!'

O fewn pum munud roedd Grwndi a fi yn yr atig, a phentwr mawr o lyfrau o'n cwmpas ar y gwely. Ro'n i'n benderfynol o aros ar ddihun drwy'r nos i chwilio am swyn fyddai'n datrys problem Mrs Clatsh unwaith ac am byth.

Ond o fewn dau funud, ro'n i'n gorwedd ar ben y llyfrau . . . yn chwyrnu'n braf.

10. Y SWYN 'NEWID 'NÔL'

Y bore wedyn, codais yn gynnar a sleifio o gwmpas y tŷ'n dawel fel ysbryd. Ymhell cyn i Modryb Mursen a Modryb Mwyden godi, ro'n i wedi gwneud brecwast i mi fy hun a gwisgo'n barod i fynd i'r ysgol. Wedi'r cwbl, fedrwn i ddim gadael iddyn nhw weld fy nhraed i!

Gwthiais y ddwy droed mochyn i mewn i welingtons a stwffio fy sanau i'w dal yn eu lle. Baglais fy ffordd i'r ysgol.

Roedd Ysgol Pant-y-pwca mewn anhrefn llwyr, a'r anghenfil o lygoden fawr yn dod i'r golwg dros y lle i gyd gan godi ofn ar bawb. Cerddai Mr Clatsh o gwmpas yr adeilad mewn tymer ddrwg, yn gosod trapiau a gweiddi ar bawb.

'Dwi'n benderfynol o ladd yr anghenfil 'na,' rhuodd, 'hyd yn oed os taw dyna'r peth ola wna i!'

Roedd giang Owain Bryn wedi dod â

chatapwltau i'r ysgol. Bob tro y byddai rhyw sŵn i'w glywed y tu ôl i ddrws neu fwrdd, roedden nhw'n anelu peledi papur tuag ato.

Lwyddon nhw ddim i ddal Mrs Clatsh, wrth gwrs – roedd hi'n rhy gyflym iddyn nhw – ond cafodd sawl plentyn ddolur am eu bod yn sefyll yn ffordd y peledi. Erbyn amser cinio roedd stafell y nyrs yn llawn o blant dagreuol yn cael triniaeth ar gyfer cleisiau a mân anafiadau.

Yn y cyfamser, roedd Mari a fi'n fflopian o gwmpas y lle fel dau glwtyn gwlyb, yn rhy flinedig i ddim. Diolch byth, roedd yr ysgol mewn cymaint o anhrefn fel bod neb wedi sylwi arnon ni. Ddywedodd neb 'run gair am fy welingtons, ac fe lwyddon ni i dreulio'r diwrnod cyfan yn gwneud dim byd.

Pan ganodd y gloch ar ddiwedd y pnawn, cododd Mari ei phen oddi ar y ddesg a dihuno rhywfaint.

'Diolch byth!' meddai. 'Wel, ydyn ni'n mynd i hela llygoden fawr neu beth?'

'Wyt ti'n siŵr dy fod ti'n dal eisiau dod?' gofynnais.

'Rhaid i ti gael rhywun call i gadw llygad arnat ti,' atebodd Mari. 'Ydy'r offer i gyd gen ti? Gad i mi gael golwg!'

Arhosais nes bod pawb arall wedi mynd allan cyn agor fy mag. 'Dyma ni,' dywedais. 'Het a hudlath gwrach, a llyfr o swynion anhygoel.'

'Hy!' dywedodd Mari'n sychlyd. 'Does 'na fawr o raen arnyn nhw – mae'r llyfr wedi rhacsio, mae 'na dwll yn yr het, ac mae'r hudlath wedi plygu.'

'Dyna'r gorau fedrwn i ei wneud ar fyr rybudd,' atebais. 'Dere, mae'n bryd i ni fynd.'

Ar ôl mynd allan o'r ysgol, cerddodd y ddwy ohonom i lawr y llwybr drwy'r cae at waelod gardd Mr a Mrs Clatsh.

Dyna lle roedd biniau mawr yr ysgol – a'r rheiny'n orlawn oherwydd nad oedd y lorri sbwriel wedi bod ers wythnos. 'Ych!' llefais. 'Maen nhw'n *drewi*!'

'Lle mae hi, tybed?' meddai Mari. 'Dere di,' galwodd gan ddal ei ddrwyn. 'Dere, 'na ferch dda!'

'Nid cath yw hi, cofia,' dywedais, 'ac mae hi'n *beryglus*!' Ond chwerthin wnaeth Mari.

Buon ni'n chwilota o gwmpas y biniau – tasg ofnadwy gan eu bod mor llawn o fwyd drewllyd nes bod dim modd cau'r caeadau. Wrth i ni dyrchu o gwmpas, roedd cwmwl o glêr a gwenyn meirch yn sïo'n swnllyd o'n cwmpas.

'AAAHHH!' gwaeddodd Mari'n sydyn gan afael yn fy mraich a phwyntio tuag at un o'r biniau.

Ac yn wir i chi, dyna lle roedd hi – Mrs Clatsh, yr anghenfil o lygoden fawr!

Gan ei bod yn eistedd ar bentwr o hen

sosejys, edrychai hyd yn oed yn fwy anferth yng ngolau dydd. Wrth iddi gnoi'n fodlon ar y cig drewllyd, roedd ei wisgars yn crynu a'i chynffon seimllyd yn chwifio o ochr i ochr.

'Sshh!' sibrydais wrth Mari gan agor fy mag yn dawel, tynnu fy het gwrach allan ohono a'i gosod ar fy mhen. Estynnais fy hudlath a'r llyfr swynion, a thaflu'r bag i ffwrdd.

Cododd clustiau Mrs Clatsh rhyw fymryn, ond roedd hi'n rhy brysur yn cnoi'r sosejys i gymryd fawr o sylw. Gan gadw un llygad arni hi, tynnais lun siâp seren hud a lledrith ar y ddaear o gwmpas fy nhraed.

'Y mochyn barus!' sibrydodd Mari gan grychu'i thrwyn. 'O, sori, Anni – do'n i ddim yn cyfeirio atat ti!' chwarddodd, gan edrych ar fy nhraed. 'Dyw Mrs Clatsh yn amlwg ddim yn ffysi *beth* mae hi'n ei fwyta . . .'

'Gallai hyd yn oed ein bwyta *ni* os arhoswn yn llonydd yn ddigon hir!' sibrydais. 'Gwell i ti fynd i guddio – dyma'r rhan anoddaf o'r swyn.'

'Paid â phoeni – dwi'n mynd!' meddai Mari gan guddio y tu ôl i'r bin agosaf. Cododd ei bawd arnaf cyn diflannu.

Agorais fy llyfr swynion a throi at un o'r tudalennau olaf. Enw'r swyn oedd 'Newid 'Nôl'.

Codais fy hudlath ac anadlu'n ddwfn.

Ond cyn i mi gael cyfle i agor fy ngheg, cododd Mrs Clatsh ei phen a dechreuodd ei wisgars grynu. *O na!* meddyliais. *Mae hi wedi fy ngweld i!*

Ond nid arna i roedd Mrs Clatsh yn edrych. Syllai heibio i mi, dros fy ysgwydd. *Crensh!* Clywais sŵn ar gerrig mân y llwybr a throi i weld beth oedd yna.

Safai Mr Clatsh ar ganol y llwybr, yn dal clamp o wn mawr. Roedd baril y gwn yn pwyntio'n syth at Mrs Clatsh . . .

11. SWYN ANNI

'Symuda o'r ffordd, ferch, rhag i ti gael dolur,' siarsiodd Mr Clatsh.

Ro'n i wedi cael cymaint o fraw wrth weld y gofalwr yn chwifio gwn o 'mlaen nes i mi ollwng fy llyfr swynion a'r hudlath mewn pwll o ddŵr budr. Roedd Mrs Clatsh wedi cynhyrfu'n lân hefyd. Safodd ar ei choesau ôl anferth, dal ei choesau blaen allan fel breichiau, a dechrau nadu'n uchel.

Cododd Mr Clatsh y gwn a'i anelu'n syth ati. Bu bron i 'nghalon i stopio curo.

'NA, Mr Clatsh!' sgrechiais. 'Peidiwch, da chi, â'i *lladd* hi!'

'Chaiff hi ddim dianc oddi wrtha i y tro hwn!' gwaeddodd. 'Dos o'r ffordd, ferch fach – NAWR!'

'Ond . . . dy'ch chi ddim yn deall!' plediais. 'Mae'r llygoden fawr acw . . . yn *wraig* i chi!'

Trodd Mr Clatsh tuag ataf, ei wyneb yn

borffor. Syllodd mor galed nes bod ei lygaid ar fin ffrwydro o'i ben.

'*Beth* ddywedaist ti, ferch? Paid ti â *meiddio* bod mor ddigywilydd!'

Am eiliad, ro'n i'n ofni ei fod am droi'r gwn arna *i*! Cuddiais fy wyneb tra oedd Mr Clatsh yn gwneud ei orau glas i reoli'i dymer.

'Hy! Does neb yn cael y gorau ar Jac Clatsh!' hisiodd, gan frasgamu i lawr y llwybr tuag at y biniau. 'Nac oes wir − *neb*, yn enwedig plentyn fel ti!'

Erbyn hyn, roedd Mrs Clatsh yn neidio lan a lawr ar ben y sbwriel drewllyd, yn ysgwyd ei phawen yn flin ar Mr Clatsh ac yn sgrechian mewn llais main. Am eiliad, safodd Mr Clatsh yn stond gan wrando'n ofalus − fel petai'r llais yn ei atgoffa o rywun . . .

Yna ysgydwodd ei ben, codi'r gwn at ei ysgwydd eto, a rhoi ei fys ar y cliced.

'Dweda rhyw weddi fach,' gwaeddodd ar Mrs Clatsh. 'Mae hi ar ben arnat ti!' Dechreuodd bwyso ar y cliced . . .

Safai Mrs Clatsh fel petai wedi rhewi yn ei hunfan. Trodd ei llygaid bach du ata i, ac yn ôl

at ei gŵr. Ai dychmygu o'n i, neu oedd hi'n
erfyn am help . . ?

Roedd yn *rhaid* i mi wneud rhywbeth – a
hynny ar frys. Codais yn gyflym a neidio'n ôl i
mewn i'r seren hud. Fedrwn i ddim darllen fy
llyfr swynion – roedd hwnnw'n wlyb ac yn
frwnt ar ôl cwympo i'r pwll dŵr. Gan obeithio
mod i'n gwneud y peth iawn, pwyntiais un bys
at Mrs Clatsh, ac un arall at ei gŵr, a dyfeisio
rhyw bennill bach:

'Mr Clatsh, plis peidiwch saethu –
Mae'n wraig i chi, fe wnewch ddifaru!
Mrs Clatsh, gwrandewch fy nghri –
Trowch 'nôl yn fenyw fel roeddech chi.
Ond gwrandwch ar fy ngeiriau mwyn –
ANGHOFIO wnewch pwy wnaeth y swyn!'

Am rai eiliadau, ddywedodd neb 'run gair.
Daliais fy anadl. Roedd pawb a phopeth fel
petaen nhw wedi rhewi mewn amser.

O'r diwedd, deffrodd Mrs Clatsh. Poerodd
ddarn o sosej drewllyd ata i cyn dechrau
dringo i lawr ochr y bin. *O na!* meddyliais. *Mae*

hi'n dal yn llygoden fawr!

Dechreuodd Mr Clatsh symud hefyd, gan edrych yn gas arna i wrth godi'r gwn unwaith eto.

'Paid rhoi lan, Anni!' galwodd Mari o'r tu ôl i un o'r biniau. Cododd ddau fawd a gwenu arna i. 'Rho un cynnig arall arni – does gen ti ddim i'w golli!'

Adroddais y pennill eto – ond y tro hwn mewn llais cryf, llawn hyder.

Ac o'r diwedd, teimlais y pŵer hudol yn saethu drwy fy nghoesau, i mewn i 'mreichiau, ac allan drwy 'mysedd tuag at Mr a Mrs Clatsh. CLEC! FFLACH! Llanwyd y lle â mwg glas.

Ar ôl i'r mwg glirio, ro'n i MOR falch o weld Mrs Clatsh – yn frwnt, yn seimllyd, yn drewi, ond yn FENYW – yn eistedd ar ben y sbwriel yn un o'r biniau. Syllodd Mr Clatsh arni'n gegrwth cyn gosod ei wn yn ofalus ar lawr.

'Beth yn y ..?'

sibrydodd. '*Beti?*'

'JAC!' gwaeddodd Mrs Clatsh. Ymestynnodd ei dwy fraich tuag at ei gŵr, ond roedd e'n rhy araf yn ymateb a chwympodd hithau'n drwm ar y llawr.

'Ti sy 'na, Beti?' llefodd gan ei helpu i godi ar ei thraed. 'Edrycha arnat ti dy hun – ble yn y byd wyt ti wedi *bod*?'

'Does gen i ddim syniad, Jac bach,' sibrydodd ei wraig yn ddagreuol.

'Beth wyt ti'n feddwl?' gwaeddodd ei gŵr gan edrych o'i gwmpas. 'A ble mae'r hen lygoden fawr hyll 'na wedi mynd?'

'Pa lygoden fawr hyll?' gofynnodd Mrs Clatsh. Edrychodd arni hi ei hun. 'O mam bach!' llefodd. 'Pam dwi'n edrych fel hyn? *Beth sydd wedi digwydd i mi?*'

Edrychodd Mari a fi ar ein gilydd, ac es draw ati. 'Mae'n hen bryd i ni'n dwy ddiflannu, dwi'n credu,' dywedais.

Nodiodd Mari, a gwenu'n llydan. Sleifiodd y ddwy ohonom i mewn i'r llwyni ac anelu am adref.

12. CADARN, OND TEG

Y bore wedyn, roedd cyffro mawr yn yr ysgol wrth i Mr Clatsh gwyno'n uchel wrth bawb bod Mrs Meredydd wedi cymryd y gwn oddi arno. Roedd e hefyd yn amheus iawn o'i wraig. Er iddo ei holi am oriau, doedd hi'n cofio dim am yr hyn ddigwyddodd iddi dros y tri diwrnod diwethaf.

Yn y cyfamser, roedd Mrs Clatsh wedi gorfod mynd i swyddfa'r heddlu lle cafodd ei chyhuddo o wastraffu amser yr heddlu.

Erbyn hynny, ro'n i'n teimlo trueni dros y ddau, ac yn euog hefyd. Mor euog nes mod i wedi penderfynu mynd at Mrs Meredydd i gyfaddef y cyfan, a gofyn iddi am help.

Cyn i mi hyd yn oed guro drws ei swyddfa, clywais ei llais yn galw, 'Ty'd i mewn, Anni Gwyn!' Anadlais yn ddwfn ac agor y drws.

'Wel, wel,' meddai Mrs Meredydd. 'Dyma hi – ein prentis fach o wrach, a lleidr rhan amser!'

Fedrwn i ddim dweud gair wrth iddi syllu arna i â'i llygaid glas, disglair. Roedd y swyddfa'n lân ac yn daclus unwaith eto, a gwydr newydd yn y ffenest. Doedd dim golwg o'r bocs hud a lledrith yn unman.

'Dwi wedi dod i ddweud sorri,' sibrydais. 'Chi sy'n iawn, fel arfer. *Fi* oedd yn gyfrifol am droi Mrs Clatsh yn llygoden fawr – yma, yn yr ysgol!'

'Ac eto,' meddai Mrs Meredydd gan daro'r ddesg â'i dwrn, 'fe wnest ti edrych yn syth i mewn i'm llygaid i, a dweud *celwydd*!'

'Do, dwi'n gwybod,' dywedais yn dawel. 'Ro'n i'n gwneud fy ngorau glas i ddod allan o drwbwl.'

'A sut yn y byd

y llwyddaist ti i agor fy mocs hud a lledrith?' gofynnodd Mrs Meredydd.

'Dwyn yr allwedd wnes i,' atebais. 'Yna fe fues i a Mrs Clatsh yn ymladd. Aeth pethe braidd yn flêr, mae arna i ofn. Y fi wastraffodd yr holl Sleim Swyn.'

'Oes gen ti *unrhyw* syniad faint o waith yw cynhyrchu'r stwff 'na?' holodd Mrs Meredydd. 'Llaeth chwilen yw e – a rhaid godro'r chwilod am *wythnosau* i gael llond jar ohono!'

Ro'n i'n teimlo cywilydd mawr. Ond roedd gen i rywbeth arall pwysig i'w gyfaddef wrth Mrs Meredydd. Anadlais yn ddwfn cyn agor fy ngheg.

'Ac mae 'na un peth arall,' mentrais. 'Dwi wedi dweud wrth Mari Morus mod i'n wrach . . .'

'*Beth* ddwedaist ti?!' gwaeddodd Mrs Meredydd gan godi o'i chadair a cherdded o un pen y swyddfa i'r llall. 'Mae hyn yn mynd yn waeth ac yn waeth bob munud!'

'Mae'n wir flin gen i,' sibrydais.

'Rhaid i ti gael dy gosbi, wrth gwrs,' meddai Mrs Meredydd.

'Dwi'n sylweddoli hynny,' atebais, 'ond dwi'n

84

credu bod y gosb wedi dechrau'n barod.'

Tynnais y welingtons a'r sanau i ddangos fy nhraed mochyn erchyll.

Syllodd Mrs Meredydd arnyn nhw, gan wneud ei gorau glas i beidio chwerthin. 'Ie, wel, y Powdr Porchell Pinc sy'n gyfrifol – hwnnw oedd wedi'i golli dros y carped, yntê?'

'Ie, Miss,' sibrydais.

'Gobeithio dy fod ti wedi dysgu dy wers, Anni. Dwi am i ti gofio sut deimlad yw e,' meddai Mrs Meredydd, 'ac addo i mi na wnei di *byth bythoedd* ddefnyddio hud a lledrith eto i gosbi pobl dwyt ti ddim yn eu hoffi!'

'Iawn, Miss,' atebais.

'*Na* dweud celwydd wrth bobl hŷn na ti. *Na* sôn wrth neb am dy bwerau hud a lledrith,' ychwanegodd Mrs Meredydd.

'Wnaiff e byth ddigwydd eto,' dywedais yn bendant.

'Nawr 'te, dy gosb di,' meddai Mrs Meredydd. 'I ddechrau, fe fydda i'n gofyn i'r ddwy fodryb dy gadw di yn y tŷ bob fin nos a phenwythnosau o hyn hyd ddiwedd y tymor.'

'Iawn, Miss,' ochneidiais.

'Ac yn ail,' aeth Mrs Meredydd yn ei blaen, 'fe fyddi di'n treulio bob fin nos am y pythefnos nesaf yn cynhyrchu rhagor o Sleim Swyn yn lle'r hyn gafodd ei wastraffu.'

'Iawn, Miss,' ochneidiais eto. *Pythefnos o odro cannoedd o chwilod – grêt!* meddyliais.

'Ac yn drydydd, rhaid i ti roi swyn "'Sai'n Cofio" cryf iawn ar Mari Morus,' meddai Mrs Meredydd. 'Rhaid gwneud yn siŵr na fydd hi'n cofio *dim* am dy antur di. Wyt ti'n deall?'

'Ydw, Miss,' sibrydais a'm llygaid yn llawn dagrau. Nes i mi ddweud y cyfan wrth Mari, do'n i ddim wedi sylweddoli peth mor unig oedd cadw'r gyfrinach.

'Plis, plis, Miss,' llefais, 'wnewch chi newid eich meddwl? Mae Mari'n ffrind da – fyddai hi byth yn achosi unrhyw niwed i mi. Fe wna i *unrhyw* beth os byddwch chi'n fodlon i Mari gadw'r gyfrinach.'

'Hm,' meddai Mrs Meredydd gan syllu arna i. 'Wyt ti'n fodlon derbyn cosb arall 'te – *unrhyw* gosb?'

Roedd hyn yn benderfyniad anodd. Doedd gen i ddim syniad beth oedd ar feddwl Mrs

Meredydd. Sychais fy nagrau a thynnu anadl ddofn cyn mentro dweud, mewn llais crynedig, 'Ydw, Miss.'

Cododd Mrs Meredydd o'i sedd, codi'i llaw a phwyntio'i hudlath ata i. *O ble yn y byd daeth honna?* gofynnais i mi fy hun.

'Beth am i mi dy droi dy gorff di i gyd yn *fochyn* – am ryw fis?' gofynnodd mewn llais cryf. 'Sut byddet ti'n hoffi hynny, tybed?'

Llyncais yn galed. *Byw fel mochyn am fis? Ydw i'n fodlon talu pris mor uchel am fod yn ffrind gorau i Mari?* meddyliais.

'Iawn, Miss,' sibrydais o'r diwedd. 'Dwi'n fodlon.'

Cododd Mrs Meredydd ei breichiau i'r awyr, yn barod i adrodd ei swyn. Ond, rhywsut, ddaeth y geiriau ddim allan o'i cheg. Syllodd y ddwy ohonon ni ar ein gilydd am rai munudau. Yn y diwedd, gostyngodd ei breichiau ac eistedd yn ei chadair.

'Dwi ddim yn fenyw galed, Anni,' dywedodd o'r diwedd. 'A dwi'n sylweddoli bod gwrach fach yn aml yn teimlo'n unig. O'r gorau – dwi'n fodlon i Mari gadw dy gyfrinach di, ond mae 'na un amod. Rhaid i'r ddwy ohonoch chi helpu Mrs Clatsh yn y labordy gwyddoniaeth bob bore cyn i'r ysgol ddechrau, a hynny tan ddiwedd y tymor. A rhaid i chi ddysgu dod 'mlaen gyda hi. Ydy hynny'n glir?'

Nodiais fy mhen. *Diolch byth!* meddyliais. Chwarae teg i Mrs Meredydd – dyna pam roedd pawb yn dweud ei bod hi'n gadarn ond yn deg. Do'n i ddim yn edrych 'mlaen at yr wythnosau nesaf, ond ro'n i'n sicr wedi dysgu fy ngwers. *Wna i byth eto ddefnyddio fy mhwerau hud yn y ffordd anghywir*, penderfynais.

'Wyt ti'n cytuno â'r cynllun, Anni?' gofynnodd Mrs Meredydd. 'Os felly, dwi am i ti arwyddo fan hyn,' ychwanegodd, gan dynnu darn o bapur o ddrôr ei desg.

Darllenais yr ysgrifen ar y papur. Cytundeb oedd e, yn nodi'n glir yr holl bethau ro'n i wedi addo eu gwneud. Yn amlwg, doedd Mrs Meredydd ddim am ddibynnu'n unig ar fy ngair i! Arwyddais fy enw ar y gwaelod.

'Dyna ni,' meddai Mrs Meredydd gan wenu a chlicio'i bysedd. 'Fe gei di wisgo dy sanau a dy welingtons nawr.'

Plygais i lawr a gweld . . . nid traed mochyn, ond fy nhraed i fy hun! Diolch byth! Ro'n i'n ferch gyfan unwaith eto!

'Rwyt ti'n gweld nawr teimlad mor dda yw bod yn ti dy hun – a phaid byth ag anghofio hynny, Anni Gwyn!' siarsiodd Mrs Meredydd.

Teimlwn fel petai rhyw bwysau mawr wedi codi oddi ar fy 'sgwyddau.

'Ydw, Miss! Diolch, Miss!' gwaeddais gan ruthro am y drws.

Hwrê! Ro'n i'n rhydd! Rhedais i gae'r ysgol, lle roedd Mari a'r plant eraill yn chwarae pêl-droed yn yr haul.

Beth am ddarllen un arall yn y gyfres am

Anni'r Wrach?

Gwrach yw Anni Gwyn – ond mae ganddi fwy o ddiddordeb mewn chwarae gyda'i ffrindiau. Ond un diwrnod mae'n cyfarfod Gwerddona Gwyll, gwrach wyllt, ddrwg a pheryglus iawn ...

Pris: £4